多多岛，被漂亮的蔚蓝大海包围
岛上有绿油油的田地
和金色的沙滩
还有小·河、溪流
很多鸟儿在树上歌唱
这里有风车和一座煤矿
迎接游客到岛上观光的码头
岛上还有很多很多的火车路线
刚刚是谁经过这条铁轨呢
是托马斯
你好，托马斯！
哈啰，大家好！
欢迎光临多多岛！

托马斯

编号：1

车型：水箱蒸汽机车

特征：个子小小，爱玩，爱笑，爱工作，最大的梦想是有一条自己的铁轨

最讨厌的事：拉鱼车，太臭了

邓肯

车型：窄轨蒸汽机车

特征：爱冒险，爱看新鲜东西，性格有点儿固执

最不情愿的事：如果不是彼得山姆出事了，邓肯绝不肯到窄轨铁路上工作

罗斯提

车型：窄轨蒸汽机车

特征：爱探险，爱工作，而且非常热爱自己的火车同伴们

最高兴的事：在史卡洛离开之后，瘦总管让他去车站帮助汉德尔先生和彼得山姆

艾蜜莉

车型：蒸汽机车

特征：一身闪亮的绿漆外衣和铜质配件，是个标准的美女小火车

最高兴的事：因为救了奥利弗和陶得，胖总管奖励给她两节专属车厢

冒险大王邓肯

根据动画片《托马斯和朋友》改编

童趣出版有限公司编 人民邮电出版社出版
北京

　　多多岛的夏天来了，小火车邓肯非常喜欢这个季节。

　　这一天，邓肯特别兴奋，因为他要带一批游客去看寇迪洞，参观洞穴可是非常有趣的冒险啊！

　　但是，瘦总管说："邓肯，有个坏消息，附近煤场的机器坏了，胖总管需要煤，你和罗斯提从山里运些煤来，让托马斯拉回去。而那些游客，柏蒂会送他们去寇迪洞的。"

　　"不公平！"邓肯失望极了。他想去洞穴冒险，拉煤车一点儿都不刺激。

　　邓肯沮丧地往山里的煤矿开去。路上，他发现了一条旧轨道，一直延伸到深深的草丛和灌木丛里。"哇，看起来是个冒险的好地方哦！"邓肯一下子兴奋起来。

于是，邓肯撞开挡住的路障，沿着旧轨道慢慢开下去。

　　刚巧，罗斯提拉着满满一车煤，从山上开下来，"邓肯，你干吗把路障撞开？"

　　"嘘，别叫！我想要去冒一场险。"邓肯悄悄说。"现在不是冒险的时间，我们还有工作要做。"罗斯提说完就开走了。

　　但是，冒险的念头装满了邓肯的锅炉，他沿着生锈的铁轨，吱溜吱溜地向前开去。

　　蜿蜒的铁轨穿过草丛和杂树，最后在山脚下消失了。

　　"好像是旧矿坑的入口，"邓肯兴奋地说，"这里比洞穴还要棒哪！"他来不及仔细思考，就直接开了进去。

　　"轰隆！轰隆！"邓肯刚刚开进洞口，后面的屋顶就塌了，他被困住了。"糟糕！我该怎么出去呢？"邓肯不禁担心起来。

罗斯提拉着煤车回到转车场，托马斯正在那里等他们。

"邓肯在哪儿？"托马斯问道。

"我不知道，"罗斯提说，"我最好去找找他。"

　　这会儿，邓肯正困在又黑又闷的旧矿坑里，他向上看见了矿井的出口，心想："也许，我吹汽笛，会有人听见。"于是，邓肯使尽全身力气，吹出最响亮的汽笛，可是，没有一个人听见。

　　"没有人知道我在这里，"邓肯难过地说，"我必须得自己找到出路。"于是，他慢慢向前开去，一寸又一寸，隧道里越来越暗，邓肯越走越深了。

　　突然，邓肯撞到了什么东西，再也无法前进。"我要永远困在这里了！"邓肯心里害怕极了。

　　矿坑外面,罗斯提正在寻找邓肯。他开到邓肯撞开的路障那里,一下子明白了:"这家伙一定是去冒险了。"于是,罗斯提也开上了那条旧铁轨。

邓肯又试着撞了撞挡住自己的东西，那大家伙发出咯吱咯吱的声响。"啊哈，这好像是车轮转动的声音。"邓肯使劲推了推，随着咯吱咯吱的响声，大家伙慢慢动起来，原来，那是一些沉重的旧货车！

　　罗斯提很快就开到了旧矿坑的洞口，可是入口已经被堵住了。"邓肯一定在里面！"罗斯提大声叫道，他担心极了。

　　"既然轨道上有货车，那前边一定有出口！"邓肯坚定信念，推着货车慢慢向前开。果然，没多久他就看见了亮光，那里就是出口了。可是突然，货车咣当一声不动了。原来，出口被封住了。

　　"一定要想清楚，一定要想清楚！"邓肯对自己说。这时，一个好主意飞进了他的烟囱。邓肯向后退了退，然后用尽全身力气，向货车撞去。

　　"轰隆！哗啦！"封住洞口的木板被撞开，邓肯从黑暗的隧道里冲了出来，他自由了。他兴奋地大叫："我成功啦！"

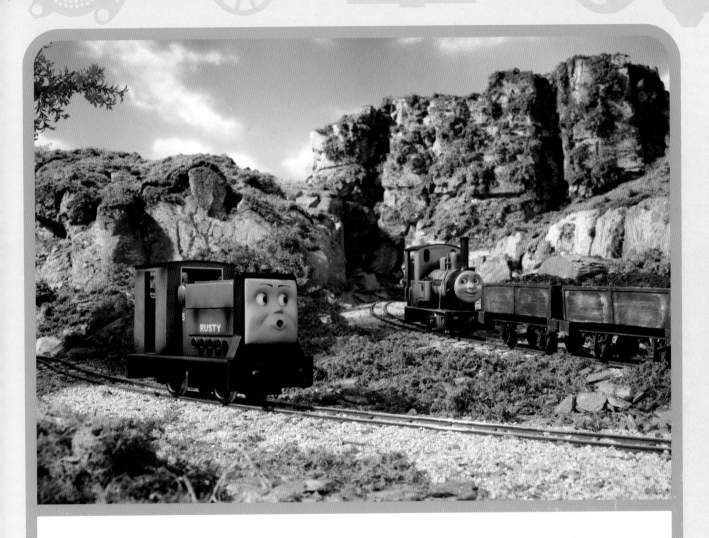

　　罗斯提听到巨大的响声，赶紧顺着轨道跑过来。他几乎不敢相信自己的眼睛：邓肯推着满满一车煤，从旧矿坑里冲了出来，这可真是意外的收获啊！

于是，邓肯和罗斯提拉着煤车重新上路，飞快地朝转车场跑去。

　　他们俩很快赶到转车场，把煤车交给了托马斯。托马斯很高兴，瘦总管也是。

　　然后，邓肯把自己的冒险故事告诉了大家。

　　瘦总管说："冒险虽然充满惊奇，可不一定每次都这么幸运！"
罗斯提和托马斯都同意瘦总管的话。

　　但是邓肯说："所以下次冒险的时候，我一定要保持清醒。"

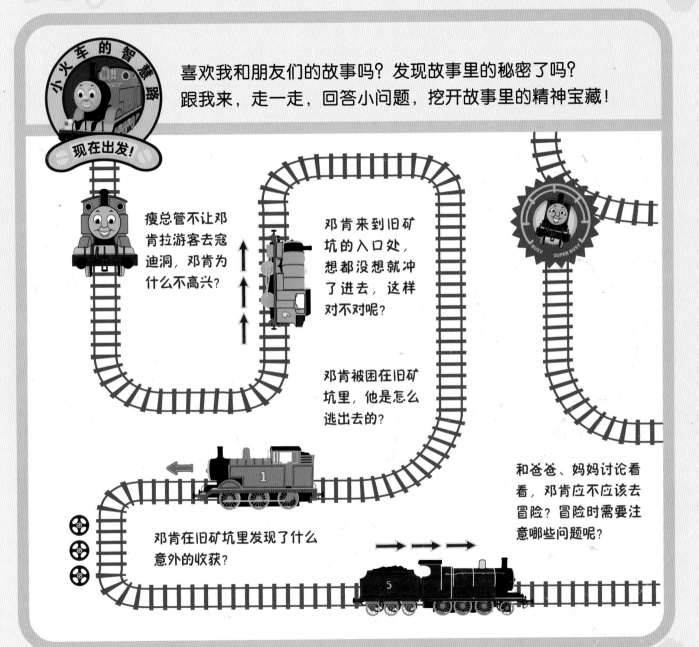

喜欢我和朋友们的故事吗？发现故事里的秘密了吗？
跟我来，走一走，回答小问题，挖开故事里的精神宝藏！

小火车的智慧路

现在出发！

瘦总管不让邓肯拉游客去寇迪洞，邓肯为什么不高兴？

邓肯来到旧矿坑的入口处，想都没想就冲了进去，这样对不对呢？

邓肯被困在旧矿坑里，他是怎么逃出去的？

和爸爸、妈妈讨论看看，邓肯应不应该去冒险？冒险时需要注意哪些问题呢？

邓肯在旧矿坑里发现了什么意外的收获？

我的第一次冒险

并不是只有邓肯那样才算冒险哦，只要是去我们不熟悉的地方，又没有了解情况的人陪伴，就可以算作冒险，比如第一次独自出门。那么，你的第一次冒险是去做什么呢？有没有意外的收获？想一想，把你的第一次冒险记录下来吧。

我的第一次冒险是去 ⬜⬜⬜ 。我觉得 ⬜⬜⬜ 。

我路过了 ⬜⬜⬜ ，看见了 _____。我遇到了

一个大麻烦，就是 ⬜⬜⬜ ，好在 ⬜⬜⬜ ，问题

解决啦！我带着 _____，高高兴兴回了家！

我的第一次冒险，成功！

650-215-0102

我的名字 _____

胖总管带你去冒险

胖总管也要去野外冒险，想不想跟他一起去呢？找一找，你会需要哪些必不可少的装备。挑选出来，带上它们，和胖总管一起出发吧。

妈妈说

与生俱来，每个孩子心里都装满好多好奇的泡泡，它们总想跑出来，去冒冒险，去探探奇，用自己去换取一颗颗知识或经验的种子，再播回心田。好奇心让孩子们爱探险！爱探险可以收获好多小种子！

鼓励孩子们去探险吧！不要莽莽撞撞冲在前，脑筋转转须当先，询问、调查做在行动前，大胆心细、量力而为去探险。换回小种子播撒心田，长得茂密一生都用不完。

慢慢地，孩子们懂得越来越多，知识和经验积累不断，为更卓越的探险准备满满，还有什么不能征服的困难？

——酷儿妈妈

专家说

探险，带着对未知的好奇，对惊喜的期待，让每个孩子都向往。探险，不见得都安全，这一点成人很清楚，孩子可不管那么多。孩子的成长之路，正是一次充满探索与发现的旅途，他的好奇心，需要我们好好呵护；他的安全，也需要我们小心保护。

这是对立的吗？不！我们要做的是，教会孩子在探索的路途上如何自护。面对任务，可以和他一起讨论如何预见困难和危险；处理难题，可以引导他学会如何应对危机。这才是我们给他一生的保护。

必须牢记：躲在妈妈怀抱里的孩子，学不会走路！

——儿童心理教育专家 《父母必读》杂志副主编 徐凡

托马斯和艾蜜莉遇到鬼

根据动画片《托马斯和朋友》改编

　　多多岛上到处是呜呜的汽笛声和咔嚓咔嚓的车轮声，所有小火车都在飞快地奔跑着，他们想快点儿完成工作，因为今天是万圣节呀！

　　小火车们喜欢万圣节，更喜欢看孩子们穿着古怪的万圣节服装跑来跑去，他们还喜欢听鬼火车和吓人蒸汽火车的故事。

　　傍晚的时候，胖总管来到提茅斯机房，他对托马斯和艾蜜莉说："你们现在必须去史麦特调车场，运一些铁回来。"

　　"好的，先生！"托马斯和艾米莉说，虽然万圣节活动一会儿就要开始了，他们还是很高兴接受新任务。

　　可是培西觉得史麦特调车场很阴森，他担心他的朋友。"小心鬼，今天是万圣节！"他紧张地说。

“根本没有鬼这种东西！”托马斯快乐地说。

“那只是愚蠢的传说！”艾蜜莉也说。

于是，托马斯和艾蜜莉迎着红红的晚霞，高高兴兴地出发了。

太阳下山了，天渐渐黑了，托马斯和艾蜜莉都打开了车灯。
"我们得勇敢一点儿，别被万圣节的鬼吓倒。"托马斯说。
"也别被史麦特调车场吓倒。"艾蜜莉大声说。

　　"哼！"托马斯喷了一下鼻子，"我才不相信培西的话呢！"
两辆小火车觉得自己很勇敢，他们喜欢这种感觉。

很快，托马斯和艾蜜莉开进了史麦特调车场，那里非常阴森！
"天哪！"艾蜜莉小声说。
"天哪！"托马斯也悄悄说。

他们小心翼翼地开过古怪而可怕的铁堆和废料堆。空气变得越来越热，烟雾变得越来越浓厚，托马斯和艾蜜莉真的有点儿害怕了。

　　柴油小火车亚瑞和伯特正埋伏在附近，他们想好好吓一吓这两辆蒸汽小火车。

"呜——""哎哟——"

当托马斯和艾蜜莉经过时，亚瑞和伯特又呻吟又哀号，声音时高时低，可怕极了。

“什么声音？”艾蜜莉大叫，“你不是说没有鬼吗？”
“你也说那只是愚蠢的传说啊！”托马斯喘着气说。

突然，货车厢开始摇晃、震动，发出叮铃咣啷的吓人声响。

"煤炭和灰烬！"托马斯尖声大叫。

"救命啊！有鬼！"艾蜜莉哭着说，"快离开这儿！"

他们不知道，是亚瑞和伯特在撞平台，两个淘气包玩得好高兴。

　　托马斯和艾蜜莉飞快地朝史麦特机房跑去，四处摇晃的黑影和火花很可怕，但他们必须进去。

　　"我希望机房里没有鬼。"托马斯颤抖着说。

　　"我也是。"艾蜜莉也在发抖。

　　链子叮当响，奇怪的影子在墙上跳舞，机房里也很阴森。艾蜜莉鼓起勇气，想要运一些货车。突然，一大团火花照亮了机房，"我的缓冲器爆炸了！"艾蜜莉吓得大叫起来。就在这当口，屋顶的白色防水布掉下来，从烟囱到脚踏板，严严实实地盖住了艾蜜莉。

　　"救命啊！鬼抓住我了！"艾蜜莉一边大叫，一边飞快地向前开去，她以为自己被鬼抓住了。

　　托马斯突然看见一大团白东西冲了过来，吓得立刻飞快地后退，"救命啊！鬼来追我了！"

　　躲在暗处的亚瑞和伯特，看见托马斯惊叫着朝这边飞跑过来，他后面紧紧追着一大团可怕的白东西，"救命啊！鬼来了！"亚瑞和伯特也飞奔起来。

　　就这样，亚瑞和伯特跑在最前面，他们后面跟着托马斯，托马斯后面跟着被白布遮住的艾蜜莉，他们一起大喊救命，飞快地朝提茅斯机房开去。

　　提茅斯机房平安而宁静，小火车们都睡着了。"鬼来了！鬼来了"亚瑞、伯特、托马斯和艾蜜莉大叫着冲了进来，惊醒了所有的小火车。就在这时，一阵风吹过，防水布飞走了，露出了艾蜜莉。小火车们长长地出了一口气，他们不再害怕了。

　　过了一会儿，胖总管穿着睡衣来了，他严厉地问："这么吵闹是怎么回事？"

"平台会嘎吱嘎吱叫！"托马斯小声说。

"还有可怕的呻吟和哀号！"艾蜜莉也嘟哝着。

胖总管看着亚瑞和伯特，"你们知道是怎么回事吗？"

"嗯，这个，这个，是我们，先生。"他们俩支支吾吾地说。

　　小火车们都松了一口气。

　　现在，托马斯和艾蜜莉再也不怕鬼了，因为根本没有鬼这种东西，那都是愚蠢的传说。

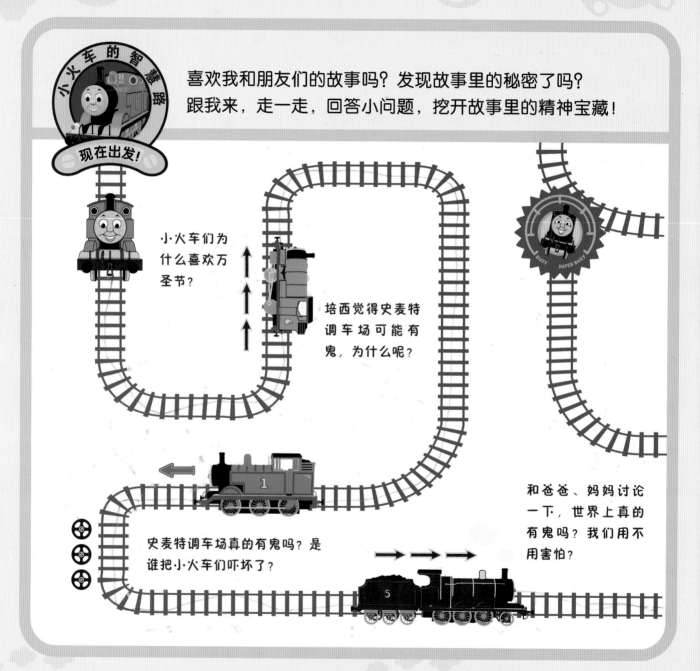

小火车的智慧器

现在出发!

喜欢我和朋友们的故事吗? 发现故事里的秘密了吗?
跟我来，走一走，回答小问题，挖开故事里的精神宝藏!

小火车们为什么喜欢万圣节?

培西觉得史麦特调车场可能有鬼，为什么呢?

史麦特调车场真的有鬼吗? 是谁把小火车们吓坏了?

和爸爸、妈妈讨论一下，世界上真的有鬼吗? 我们用不用害怕?

小火车游戏屋 主题拓展

最可怕的鬼面具

下面这些鬼面具，是胖总管和小火车们万圣节送给中国小朋友的礼物，你觉得哪个最可怕？邀请爸爸、妈妈来，按照各自的感觉给它们排个队，然后说说自己的理由！

第一可怕的是___4___ 第二可怕的是___1___

第三可怕的是___2___ 第四可怕的是___5___ 第五可怕的是___3___

为什么呢？

温馨提示：把你们各自喜欢的那一个临摹下来，做成鬼面具戴上，全家一起玩捉鬼游戏吧！

小火车游戏屋
智能拓展

谁丢了影子？

夜晚的时候，没有光线的时候，人们都会丢了自己的影子，下面这些影子都是谁的呢？根据轮廓来判断一下，然后将他们连起来吧。

· **妈妈说** ·

世界上根本就没有鬼，那都是愚蠢的传说，但是万圣节发生在史麦特调车场里的故事却让我们深思：

防水布罩在了艾蜜莉的头上，她以为自己被鬼抓住了；托马斯看到一团白色的东西在飞奔，原来镇定的神经也紧张起来；就连这场恶作剧的始作俑者亚瑞和伯特也真的害怕了……他们一个接一个地逃跑，嘴里喊着："鬼来了！"

读完这个热闹而滑稽的故事，你想到了什么？人们是不是经常自己吓唬自己呢？

——英琦妈妈

· **专家说** ·

您的孩子怕黑吗？您的孩子怕鬼吗？

他的害怕跟托马斯和艾蜜莉很像吧？可是，您的孩子也许没有小火车们那么幸运，能很快认识到是自己在吓唬自己，也许他根本就说不清到底怕的是什么。

如果你对他说："黑有什么好怕的？黑暗中没有怪兽！"根本不解决问题。要到黑屋子里，他一定还拉着你。读一读这个小故事，孩子会走过托马斯和艾蜜莉类似的心路历程！走出恐惧不那么容易，但有小火车的陪伴，他会好得多。别着急，也先别讲他不能理解的大道理。

——儿童心理教育专家 《父母必读》杂志副主编 徐凡

小·火车 书架

小火车，呜呜！托马斯和他的朋友们从多多岛送来了这么多好看又好玩的小火车图书，你有几本了呢？快到书店里挑选你最喜欢的，带回家，给自己建一个小火车书架吧！

托马斯和朋友动画故事乐园（第一辑）
2009 年 1 月出版

托马斯和朋友百宝游戏屋
2009 年 4 月出版

托马斯和朋友动画故事乐园
（第二辑）
2009 年 6 月出版